MW01013932

Dirección Editorial: Raquel López Varela
Coordinación Editorial: Ana María García Alonso
Traducción: Esther Sarfatti
Maquetación: Cristina A. Rejas Manzanera
Diseño de cubierta: Darrell Smith
Ilustración: Mª Isabel Nadal Romero

Reservados todos los derechos de uso de este ejemplar. Su infracción puede ser constitutiva de delito contra la propiedad intelectual. Prohibida su reproducción total o parcial, comunicación pública, tratamiento informático o transmisión sin permiso previo y por escrito. Para fotocopiar o escanear algún fragmento, debe solicitarse autorización a EVEREST (info@everest.es), como titular de la obra, o a CEDRO (Centro Español de Derechos Reprográficos, www.cedro.org).

© EDITORIAL EVEREST, S. A.
Carretera León-A Coruña, km 5 - LEÓN
ISBN: 978-84-441-4687-4
Depósito legal: LE. 1163-2011
Printed in Spain - Impreso en España

EDITORIAL EVERGRÁFICAS, S. L.
Carretera León-A Coruña, km 5
LEÓN (España)
Atención al cliente: 902 123 400
www.everest.es

Caperucita Roja

Little Red Riding Hood

Caperucita Roja

Little **Red** Riding Hood

Ilustrado por Mª Isabel Nadal Romero

everest

Érase una vez, una niña muy buena que vivía en una pequeña aldea. Tenía una preciosa caperuza de lana roja, por lo que la llamaban Caperucita Roja.

Once upon a time, there was a very nice young girl who lived in a little village. She had a lovely red hooded cape, so everyone called her Little Red Riding Hood.

Un día su mamá le dijo:

—La abuelita está enferma. Quiero que le lleves este queso, esta torta y este tarro de miel, harán que se mejore. Pero no te pares a hablar con nadie por el camino.

One day her mother said, "Grandma is not feeling well. I would like you to take her this cheese, this pie, and this jar of honey, which will make her feel better. But don't stop to speak to anybody along the way."

Se dirigió hacia su casa. Al pasar por el bosque se encontró con un lobo que acechaba detrás de unos arbustos.

—¿Dónde vas, Caperucita? —le preguntó con una falsa sonrisa.

—Voy a ver a mi abuelita, que está enferma —respondió Caperucita, confiada.

She set off for her house. As she walked through the woods, she met up with a wolf, who was waiting for her behind the bushes.

"Where are you going, Little Red Riding Hood?" he said smiling mischievously.

"I'm going to visit my grandmother, who is not feeling well." Little Red Riding Hood answered kindly.

—¿Y qué llevas en esa cesta?

—Le llevo un queso, una torta y un tarro de miel.

—¡Qué contenta se pondrá! —dijo el lobo—. ¿Y vive muy lejos?

—En el otro extremo del bosque —le explicó la niña.

"And what do you have in that basket?"

"I have cheese, a pie, and a jar of honey."

"She'll be very happy to see you!" said the wolf. "Does she live very far away?"

"On the other side of the woods," explained the girl.

—Es mejor tomar ese sendero de la izquierda —dijo el lobo—. Se llega antes, y hay muchas flores bonitas para hacerle un ramillete.

—¡Muchas gracias, señor lobo! —le dijo Caperucita, a la que le gustó la idea de recoger flores para su abuelita.

"It's best to take this path to the left," said the wolf. "It's faster, and there are lots of pretty flowers along the way to make her a bouquet."

"Thank you, Mr. Wolf!" said Little Red Riding Hood, who liked the idea of picking flowers for her grandmother.

Y sin saber que el lobo le tendía una trampa, Caperucita se fue por el sendero de la izquierda.

And without realizing that she had fallen into the wolf's trap, she took the path to the left.

El lobo, entre tanto, echó a correr por un atajo y llegó enseguida a casa de la abuela.

Llamó a la puerta.

Meanwhile, the wolf ran quickly to find a shortcut, and soon arrived at the grandmother's house.

He knocked on the door.

—¿Quién es? —preguntó la abuela desde la cama.

—Soy Caperucita Roja —contestó el lobo imitando su voz—. Traigo un queso, una torta y un tarro de miel.

—Tira de la anilla y la puerta se abrirá.

"Who is it?" asked the grandmother from her bed.

"It's Little Red Riding Hood," answered the wolf imitating her voice. "I brought you some cheese, a pie, and a jar of honey."

"Just pull on the latch and the door will open."

El lobo entró, se lanzó sobre la abuela y se la tragó de un bocado. Después se puso el camisón y el gorro de dormir y se metió en la cama a esperar a Caperucita.

The wolf came in, lunged at the grandmother, and swallowed her up in a single bite. Then he put on her nightgown and nightcap and got into bed to wait for Little Red Riding Hood.

Al poco rato oyó el picaporte.

—¿Quién es? —preguntó el lobo fingiendo ser la abuela.

—Soy Caperucita, traigo un queso, una torta y un tarro de miel.

—Tira de la anilla y la puerta se abrirá.

Before long, he heard the door handle.

"Who is it?" asked the wolf, making believe he was the grandmother.

"It's Little Red Riding Hood! I've brought you some cheese, a pie, and a jar of honey."

"Just pull on the latch and the door will open."

Caperucita entró y se acercó a la cama, donde estaba el lobo.

—Abuelita, ¡qué brazos tan largos tienes! —exclamó.

—Son para abrazarte mejor, nietecita mía.

Little Red Riding Hood came inside and approached the bed where the wolf was lying.

"Grandma, what long arms you have!" she exclaimed.

"The better to hug you with, my dear granddaughter."

—Abuelita, ¡qué orejas tan grandes
tienes!
     —Son para oírte mejor, querida mía.
     —Abuelita, ¡qué ojos tan grandes tienes!
     —Son para verte mejor, preciosa mía.

"Grandma, what big ears you have!"
"The better to hear you with, my love."
"Grandma, what big eyes you have!"
"The better to see you with, my precious."

—Abuelita, ¡qué nariz tan grande tienes!

—Es para olerte mejor, tesoro mío.

—Abuelita, ¡qué dientes tan grandes tienes!

—Son… ¡para comerte mejor! —dijo el lobo saltando sobre Caperucita y zampándosela de un bocado.

"Grandma, what a big nose you have!"

"The better to smell you with, my darling."

"Grandma, what big teeth you have!"

"The better to… eat you with!" said the wolf, and he jumped on Little Red Riding Hood and gobbled her up in just one bite.

Poco después unos cazadores pasaron cerca de la casa.

Shortly afterwards, some hunters passed
by the house.

Alarmados por los fuertes ronquidos que se oían, forzaron la puerta y se encontraron con el lobo en pleno sueño y la barriga bien llena.

Alarmed by the loud snoring they heard, they broke down the door and found the wolf asleep with a very full stomach.

Entonces, le abrieron el vientre con un cuchillo y de allí salieron, sanas y salvas, la abuela y Caperucita Roja.

Para festejarlo, todos ellos se sentaron a merendar queso, torta y miel.

Then they opened him up with a knife and out came the grandmother and Little Red Riding Hood, safe and sound.

To celebrate, they all sat down to eat the cheese, the pie, and the honey.

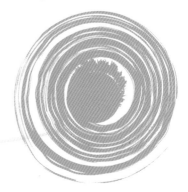

¡Ah…! Y Caperucita nunca más se detuvo en el bosque a hablar con desconocidos.

Oh! And Little Red Riding Hood never stopped to speak to strangers in the woods again!